KB096268

유니의
캘리버리
첫번째이야기 위니
클쌤

워니의 캘리어리 첫 번째 이야기

발 행 | 2024년 08월 20일
저 자 | 양준원
펴낸이 | 한건희
펴낸곳 | 주식회사 부크크
출판사등록 | 2014.07.15.(제2014-16호)
주 소 | 서울특별시 금천구 가산디지털1로 119 SK트윈타워 A동 305호
전 화 | 1670-8316
이메일 | info@bookk.co.kr

ISBN | 979-11-419-0120-2

www.bookk.co.kr

워니의 캘리어리

첫 번째 이야기

양 준 원 지음

CONTENT

머리말

80년대 학창시절은 공부만 잘하면 큰 인물이 되는 분위기의 시대였습니다. 그런 시절 몰래 그림을 그리며 만화가를 꿈꾸다 부모님께 두들겨 맞고 지금은 취미로 그림을 그리고 있습니다.

그때의 사랑의 매(?)가 지금은 얼마나 고마운지 모릅니다. 직업을 갖고 좋아하는 그림을 마음껏 그리기에, 더 자유롭고 행복한 마음 가득합니다.

카카오의 '프로도'를 사랑하는 제주출신의 고양이 '제돌이(제주돌아이)'는 '네오'를 라이벌로 생각한다는 스토리텔링을 만들어 호기롭게 카카오 이모티콘에 도전하였지만 탈락하였습니다.

그때부터 틈틈이 연습했던 수년간의 낙서 같은 그림들을 '워니의 캘리어리' 안에 모아 보았습니다. 엉성하고 미숙하지만 짧막한 캘리그라피와 소소한 일상들을 그림으로 담은 다이어리를 합성하여 한칸짜리 그림으로 완성하였습니다.

풋풋했던 학창시절의 꿈을, 50살이 다되어가는 지금이라도 도전해 볼 수 있음에 감사하고 영광으로 생각합니다.

부디 가볍고 즐거운 마음으로 읽으시면 좋겠습니다.

제1화
즐거운 월요일

워니의 캘리어리

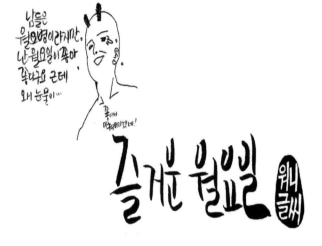

기쁜 좋게 줄러한
월오일이 첫
어제라면
켜고 자쟈녀며
해맑게 웃으며
안부를 묻는다.

즐거운 월요일

워니
글씨

제2화
BGM이 들려요 워니글씨

무단조퇴 5명
조퇴예약 2명
개근희가
8름니다
'나를 들뜨게
하는 사람들'
워니글씨

내가 산 주식만
오르지 않는다
말락이 부릅니다
눈물이 왈칵

워니
글씨

이렇게 작고
예뻐서
때릴 데가
어디 있냐는 그대
태양이 부릅니다
ㅣ눈, 코, 입'

거짓말에 거짓말만
하는 그대
내 마음의 소리를
들려주고 싶다.
Bobby가 부릅니다. 워니
글씨
'가드올리고 Bounce'

운동하다 귓방망이를
맞았다.
오혁이 부릅니다.
'위잉위잉'

워니
글씨

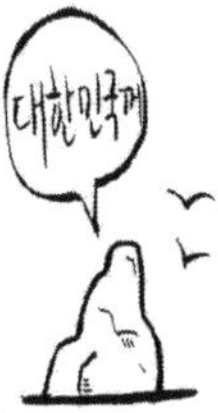

독도가 자꾸
자기들거라고
억지를부린다
혼내주어야겠다
자메즈가 부릅니다
'거북선'

워니
글씨

판서를 하고 돌아보니
절반이상이 벌써
자고있다.
드럼큰 타임게가
부릅니다.
'긴급상황'

워니
글씨

블루투스스피커 사려는데 싸게사려니까 결정을 못하겠다. 브라운아이즈가 부릅니다. '벌써 일년'

워니글씨

살수 있을까...

수업시간 떠들고
수업방해하는 학생
시끄럽다고 조용히
랬더니 나보고
귀를 막으란다.
전혜성이 부릅니다.
'할말을 잃어서' 워니글씨

결재 받는 도중
오타를 발견했다.
AOA가 부릅니다.
'심쿵해'

워니
글씨

오늘도 최선을
다해 열심히
일한 그대
10cm가 부릅니다.
'쓰담쓰담' 워니클씨

자기는 작고 예뻐서 대릴데가 어디 있냐고 묻는다.

EXID가 부릅니다.

`위 아래`

워니글씨

4교시 조퇴증을
준비해놨는데
2교시에 무단조퇴
한 그대
백아연이 부릅니다.
'이럴거면
그러지말지' 워니글씨

주식 3년째

아이언이 부릅니다,

'독기' 워니글씨

수업 땡땡이친
그때, 잡으러 간
나와 눈이 마주쳤다.
'김건모'가 부릅니다.
'잘못된 만남' <sub>워니
글씨</sub>

흰머리를 뽑아
준다는 그대
손에 보이는
내 검은머리카락
'다이내믹 듀오'가
부릅니다.
'꼭 잊녕' 워니글씨

눈빛에 반항기
가득한 그대
'오렌지캬라멜'이
우릅니다,
'까탈레나'

워니
글씨

답안마킹을
같은 번호로 쭉
내리고 있는 그대
'헤이즈'가 부릅니다,
`멈춰줘' 워니
글씨

같은 번호로
마킹하던 그대
답안지를 교체하더니
다시 똑같은 행동을
한다.
'10CM'가 부럽니다.
'고장난 걸까' 워니글씨

다이어트를
결심하고
집에왔더니
치킨이있다.
'안개밍듀오'가 부릅니다.
'먹자' 워니
글씨

내 흰머리가
늘었다고 말하는
그대
'기형서'가 부럽데다.
'당신을 만나'

워니
글씨

매년
3월이면
어김없이 꽃사진을
찍는다,
'장범준'이 부릅니다,
'벚꽃엔딩'

워니
글씨

꽃사진 찍고
교실에 들어왔는데
두명이 늦게온다.
'B이'가 부릅니다.
'겁도없이'

무작정
조퇴를 하겠다고
조르는 그대
'티아라'가 부릅니다.
'왜이러니' 워니
글씨

결썩썡없는
교실
지각생, 결썩썡
없는교실
'챵모'가 부릅니다.
'아름다워' 워니
글씨

제3화
소소한 캘리어리 워니글씨

어려서부터
우리집은
가난 했었고
남들다하는
외식 한번
한적이 없었고
집에서 '스테이크' 워니글씨

강스파이크 !! 워니글씨

아프면
말씀하세요

너무 아프면
말도 안낸다.

워니
글씨

ㅋㅋㅋ ㅋㅋㅋ

미리 걱정하고
속상해한다고
더
좋아지는건,
아니야. 워니글씨

즐거운 죽겨! 먹었으니 다이어트 워니글씨

행복과 기쁨은
저축되지
않는다,
아낌없이
순간을 즐겨라,

워니
글씨 생각이 깊어 보임 …

크바박

공포아저씨는 등을 뻐뚝게 긁을까 워니글씨

잘 알지도
못하고 알려
고도 하지않는
말들에
무게를 두어
아파하지
말아요.

넘어져도
괜찮아
도전하고
았으니까
넘어지는
거야. 워니글씨 하하하

하하하

무서워서
구식을 못보겠다.
괜찮아. 힘들때
우는건 삼류라며,   크흡...
난 울지않아.
나..난 일류잖아.   워니글씨

이 여름인데 춥네...

웃으면 복이 온다지

시간이
필요한 일을
미리
걱정하지
말자.

워니
글씨

자갸!
돈좀줘봐
내가 주식으로
몰빵해서 두배세배
불려줄께. 자갸
나 못 믿...

워니글씨

철썩!!

1전압

우리 담임선생님의 첫 인상

저희 아버지 김양식 일 도와주시던 분하고 닮아서 신기했다

그 밖에 선생님께 하고 싶은 말이 있으면 다 써주세요 ~

잘 부탁드립니다

나도 모르는새
"학생 아버지 김양식
일 도와주시던 분"
이 되었다 신기했다.

우리 담임선생님의 첫 인상

~~종혜. 반노운것같다고 생각했다.~~
솔직히 별로일것같다고 생각했다.

그 밖에 선생님께 하고 싶은 말이 있으면 다 써주세요 ~

~~화나도 조금만 참아주세요~~
화나도 조금만 참아주세요

일상에 지친
그대!!
힘내라고 동전을
넣어주었다. 워니글씨

쿵맘 먹고
타노스 피규어를
샀더니 꾸식이
반토막 났다.

워니글씨

화안낼테니
나봐바
어이어이!!

워니의 캘리어리

오랜만에 어머니께 노래를 선물했다. 워니글씨

기린은 너무 귀여..유ㅠ..

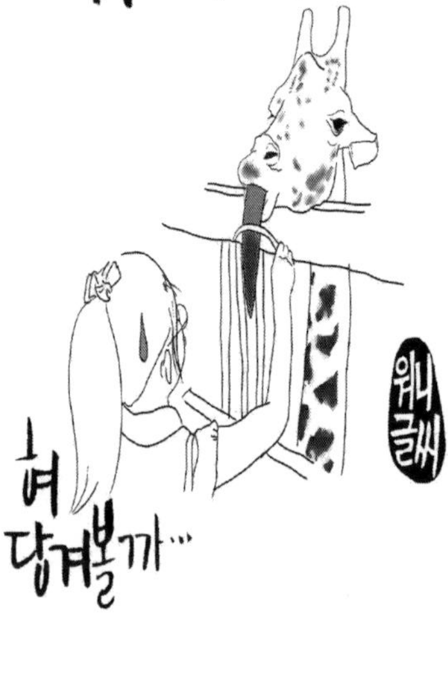

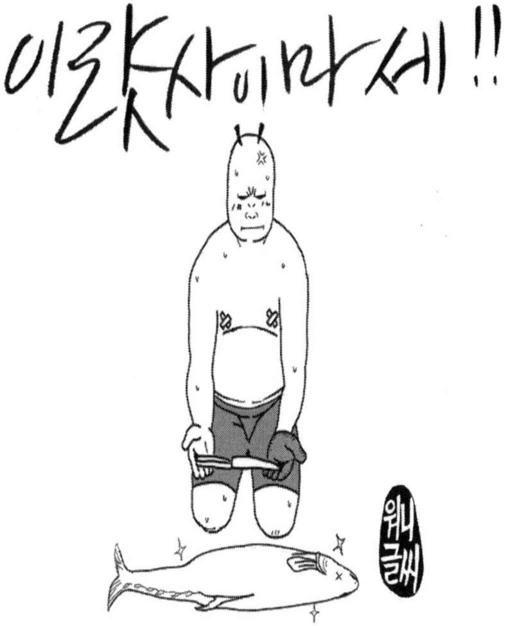
이랏샤이마세!!
워니 글씨

분명
집사람에게
선물한 옷인데
헌옷수거함에 있었다.

이제곧 연휴! 워니글씨

하하하

기다려
견담 만들때
줄게

하하하

요즘따라
고양이가
너무 귀엽다. 워니글씨

아.. 꽉찬 행복!!

전쟁하면
시져시져~ 워니
글씨

우파루파
건강하게
오래오래
살으렴 워니글씨

워니의 캘리어리

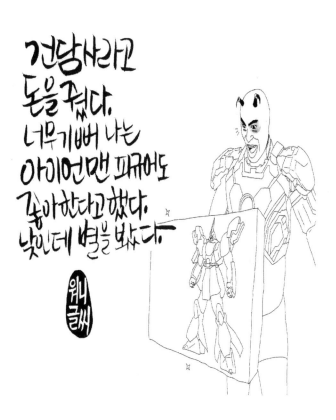

건담사라고
돈을 꿨다.
너무기뻐 나는
아이언맨 피규어도
좋아한다고 했다.
낮인데 별을 봤다.

워니
글씨

과유불급

설날이 밝는
부인이 피곤해보여
그림을 선물했다.
딸은 웃었지만
그녀는 웃지않았다.
내일 아침밥은 없을듯해서
저녁까지 지어야겠다.

워니
글씨

장염에 걸렸다
내몸의 물이
다나오는꿈‥

워니
글씨

아와
엄수질않아

이대로
앉아서
죽는건가‥

누려도 되는
행복 앞에서
망설이지
말자!! 워니글씨
어유야 ㅇ엇있다

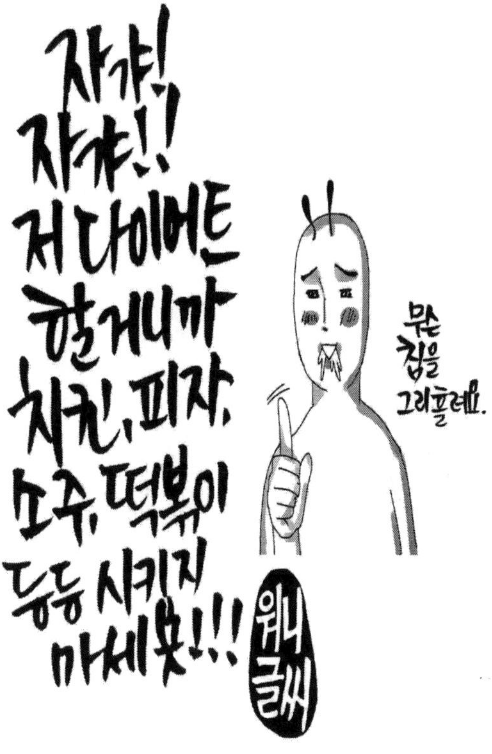
자갸!,
자갸!!
저 다이어트
할거니까
치킨, 피자,
소주, 떡볶이
등등 시키지
마세욧!!!
무슨
침을
그리흘레요.
워니
글씨

감격스럽다,
아무도 안볼지
몰라도 완성이다.
자칭작가다!
데헷v 워니 글씨

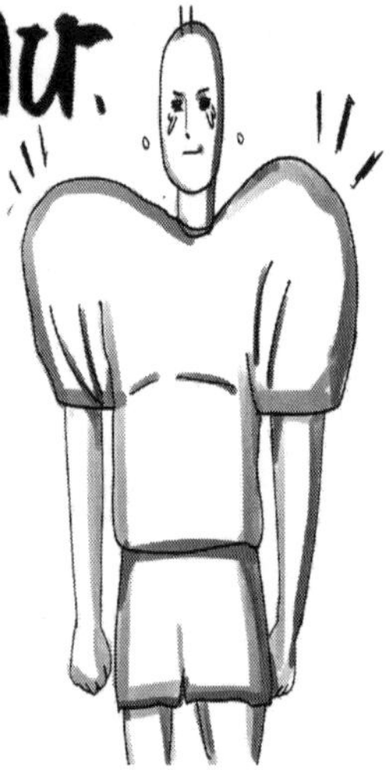

작가의 말

'워니의 캘리어리'를 만들며, 다시 한번 만화 작가분들의 초능력을 느낄 수 있었습니다.

지극히 사적인 내용과 생각들을 적어 놓다보니 생략한 그림과 글들도 많고 픽션도 섞여 있습니다. 다른 분들이 할 때는 쉽게 보였던 자가 출판이 이렇게 어렵고, 시간과 정성이 들어가는 줄 몰랐습니다. 역시, 최고의 스승은 경험인 것 같습니다. 두 번째 이야기를 다시 언제쯤 완성할 수 있을지 모르겠지만, 꾸준히 그림과 글씨 연습을 하고자 합니다.

이 모든 것을 가능하게 손재주를 주신 부모님, 철없는 사위를 언제나 응원하고 사랑해주시는 장인, 장모님께 진심으로 감사드립니다.

책을 완성해보라며 말로만 응원해준 박여사!(아내)와 알아서 너무 잘해서 늘 고마운 유정!(딸)에게 한없는 믿음과 감사함을 전합니다.

그리고 두 번째 책이 안 나올 수도 있으니 감사의 말을 다 해야겠습니다. 큰누나, 형, 그리고 늘 고맙고 미안한 우리 작은누나, 그리고 매형과 사랑스럽고 듬직한 서울조카들, 여수에 계신 둘째 처제 가족들과 제일 예쁜 셋째처제, 처남가족들에게도 감사함을 전하겠습니다.

마지막으로 착하고 잘하는거 많은데 본인만 모르는 '동안' 친구 김안나, 호구가 되지 말자고 만들었지만 달라지는 거 없는 호구와트멤버 배여진, 노미라, 일년에 딱 두 번만 만나주는 배성화에게도 감사하다는 말을 드립니다. 박여사가 어차피 아무도 안 보고 볼 사람만 볼 테니 다 적으라고 하네요. 포르쉐는 샀지만 기름이 없다는 친구 관열이, 박여사의 베스트 프랜드 라미씨, 이사하고 새로 만난 좋은 이웃 분들인 '비밀의 화원' 회원누님들과 형님들, 저의 캘리그라피를 과대평가해준 현주누님과 회장님께도 감사의 말씀 올립니다.

제2의 고향 여수에서

양준원 올림